그건, 사랑

저자 스마일양

아이들은 자란 만큼 나에겐 여유가 생겼다. 아이들과 함께했던 시간을 되돌아보면 언제나 "그래, 나만 잘하면 돼!"

옆에서 아무리 잔소리를 해도 그 잔소리는 허공을 떠돌 뿐이고, 결국 아이들은 스스로 자기가 해야 할 몫들을 자기 속도로 해나가며 다양한 색깔의 열매를 맺어 간다. 아이들은 자기의 길을 가고, 나는 나의 길을 걸어가자. 서툴지만 잔잔한 웃음이 있는 나의 첫 책을 준비해 보는 중이다.

그건, 사랑

스마일양

책 / 소 / 개

하루하루 아이들과의 일상에서 웃고 울고 지치고 때론 서로에게 상처를 주기도 하지만 그 모든 순간이 지나고 나면 소중하게 느껴집니다. 그 소중한 순간들을 글로 남기고 싶은 마음에 첫 출판을 도전하게 되었습니다.

어릴 적 저는 〈좋은 생각〉이라는 월간지를 자주 읽었습니다. 짧은 글 속에서 느껴지는 따뜻한 감동과 잔잔한 재미는 저를 웃음 짓게 하였습니다. 아이들과 함께한 저의 〈좋은 생각〉을 읽고 여러분도 잠깐이나마 웃음 지을 수 있기를 소망합니다.

부족한 글이지만 누군가에게 작은 위로와 웃음이 되어 평범한 엄마와 아이들의 일상이 작은 울림으로 다가가길 바랍니다.

차례

글쓰기 도전

글쓰기 도전

한 문장씩 써 내려간 글은 지극히 개인적인 일상을 보여준다.

나뿐만 아니라 가족의 일상을 보여준다.

'자기 이야기를 다른 이모들에게 하지 말라'고 단속하는 딸에게 선을 넘어도 너무 넘은 듯하다.

우연히 접한 문장 한 줄.

〈제주도와 제주문화예술재단이 후원하고 서귀포 오아시스가 주관하는 엄마의 활주로 '함께 육아 에세이' 엄마 작가 참여 신청을 받습니다.〉

엄마 작가 되기 도전 시작!

학기 초마다 작성하는, 거창할 것 같은 장래 희망은 사실 아주 사소

한 것에서부터 출발한다. 우연히 듣게 된 선생님의 칭찬 한마디, 친구의 관심 한번, 친구 따라 시작한 미술 수업, 어쩌다 골대로 들어간 축구공, 부엌을 전쟁터로 만들며 혼자 만들어 본 떡볶이 한 그릇. 이런 것들로 말이다. 나는 방학 숙제로 냈던 일기장을 선생님 보시고는 '일기를 참 재미있게 쓰는구나.' 하셨다. 여름방학 큰 대야에 물을 받아 놓고 노는데 물 안에서 꿈틀꿈틀 지렁이가 나타나 소란을 피웠던 내용이었다. "으악~~. 징그러워. 지렁이다."으로 시작되던 일기.

그렇게 나는 옆 친구보다 아주 조금 글을 재미있게 쓸 줄 안다고 생각했다. 하지만 전문적으로 글을 배워 보겠다는 생각하지 못했다. 그리고 또 하나 내가 관심 있던 분야는 그림 그리기. 그림에 소질이 있다는 소리도 가끔 들었다. 그림 역시 취미 수준을 넘어서지 못하는 실력이었다. 그리고 아이들을 키우며 그림 그리고 글을 쓰는 동화 작가를 가끔 꿈꾸었다. 꿈을 이루기 위해서 어떤 방법으로 어떻게 찾아가야 하는지 막연했고, 꿈을 현실로 이루기 위한 도전은 하지 않았다. 내 안에 남겨진 이루지 못한 미련은 내 옆에 그림을 그리는 남편과 그림을 그리는 아이들을 남겨 놓았다. 시간이 지나 할머니가 되면 가족들 틈에 끼여서 가족 전시회를 여는 고상한 할머니가 되면 좋겠다. 아니면 남편이나 아이들이 그림을 그리고 나는 글을 쓰면 그것도 멋지잖아.

그런 바람이 있던 나에게 (엄마 작가 되기)는 잡아야 할 기회가 아닌가? 막내딸이 13살인데 13살까지가 참여 대상이란다.

'이건 꼭 지금 해야 해!' 그렇게 시작된 도전. 글을 한 편씩 인증할 때마다 나를, 내 가족을 내보이는 것 같고 무언지 모를 불편함이 스멀스멀 올라왔다. 하지만 처음부터 내 목표는 완주였다. 잘 다듬어진, 사람의 마음을 끄는 감동적인 글이 아니라 전자책을 내어보는 것. 작가라는 길을 어떻게 갈 수 있는지 한번 따라가 보는 것. 그 첫걸음이 필요해서 낸 용기를 끝까지 지켜내고 싶다. 그래서 지금 초등학생 사생활 보호라는, 엄마의 입단속을 강조하는 딸에게는 아직 한마디도 못 하고 몰래 육아 에세이를 쓴다. 머릿속에 몽글몽글 올라오는 좋은 문장이 아니라 몽글몽글 올라오는 온갖 걱정은 슬쩍 뒤로 밀어내며 그냥 출판까지 완주해 보자고 용기를 내어본다.

키우기의 기술

키우기의 기술

오랜만에 비행기 타고 부산에 도착했다. 여행의 목적이 있었지만, 제주도를 벗어났으니, 시간을 내어 가고 싶은 곳을 말해보라고 했더니 엉뚱하게 홈플러스!

세계 최대 규모의 백화점이라는 번쩍번쩍한 센텀시티 신세계 백화점을 바로 옆에 두고 우리는 서민적인 홈플러스로 향했다. 딸이 보고 싶은 것은 홈플러스 애완동물 코너의 장모 햄스터. 집을 떠나올 때부터 육지에 가면 장모 햄스터를 사 올 거라고 단단히 맘을 먹고 온 모양이었다. 햄스터를 보자마자 사달라고 졸라대는 아이에게 유쾌하게 알려주었다. 비행기에는 강아지, 고양이, 새만 태울 수 있다는 사실을.

우리는 1박 2일의 짧은 일정 중에 홈플러스에서 1시간 동안 햄스터와 토끼와 열대어를 구경했다. 딸은 또래에 비해 많은 것들을 키우고 있다. 강아지 산이부터 손바닥만큼 큰 달팽이 한 쌍 그리고 씨앗부터 발아시킨 아보카도 나무와 망고나무, 아스파라거스, 스킨답서스까지. 그 모든 것들이 윤기가 흐르고 건강하며 하루가 다르게 성장한다.

아이는 키우는 것에 대한 즐거움을 알고 있다. 하루 한 시간씩 강아지 산책도 도맡아 하고, 달팽이 집 청소도 정기적으로 하고, 인터넷에서 관련 정보들을 모으고, 커뮤니티에 가입하여 모르는 것들에 대해선 돌봄 선배들에게 물어보고 배우기도 한다. 애정을 주는 대상이 그 애정에 보답하듯 튼튼하게 자라니 키우고 싶은 것들이 자꾸만 늘어난다. 햄스터부터 도마뱀, 길고양이, 어느 날은 바닷가 돌멩이까지 데리고 와서 이름을 붙여 반려 돌멩이로 책상 위에 두고 즐거워한다. 아이가 키우겠다는 대상이 나타나면 나는 너희 3마리 키우기도 힘에 부치니 독립해서 호랑이를 키우든, 코끼리를 키우든 네 마음대로 키우라고 목소리 높인다. 하지만 아이가 다른 생명에게 가지는 따뜻한 마음과 튼튼하게 키워내는 생명을 보고 있노라면 내가 하지 못하는 일을 꾸준히 해내는 초등학생이 참 대견하고 멋지다는 생각이 든다. 산이 산책시킨다고 동네를 매일 돌아다니면서 길 강아지, 길고양이들을 많이 만난 듯했다. 꾀죄죄한 강아지나 고양이를 만나면 집으로 돌아와 사료 한 봉지 챙겨 들고 다시 나갔다 오는 아이가 어느 날부터 자기는 유기견이

나 길고양이를 입양해서 치료해 주고 다시 분양해 주는 사람이 될 거라고 한다. 그 마음이 참 이쁘다고 응원해야 하지만 아이만큼 마음이 여유롭지 못하고 현실의 어려움을 뻔히 아는 엄마는 "안돼~~."하고 딸아이를 말렸다. 강아지, 고양이에게 둘러싸여 똥오줌 치우며, 별나라 가는 아픈 아이들 붙잡고 우는 딸아이를 마주하고 싶지 않다. 무언가를 잘 키워낸다는 건 참 쉽지 않은 일이다. 내가 키운 존재는 그냥 곱게 곱게만 컸으면 좋겠다. 힘든 일은 피해 가며. 엄마의 인류애는 이 정도가 한계인 듯하다. 내 비록 인류애는 낮지만, 모성애는 강한 걸로 포장하고 싶은 요즘이다.

힘든 길을 갈지라도 묵묵히 그 길을 응원해 주는 엄마들은 도대체 무슨 마음으로 그렇게 할 수 있는 걸까?

나는 아직 내 아이보다 그릇이 작은 엄마이다.

한라산과 5살 꼬마 등반가

한라산과 5살 꼬마 등반가

딸아이의 첫 한라산.

영실코스로 오른 윗세오름.

5살 아이가 작은 보폭으로 영차영차 오르니 여러 사람들의 응원을 받았다. 계단에 앉아 땀을 식히며 쉬고 계셨던 할머니는 "너를 보니 내가 이렇게 포기하면 안 되겠다. 나도 그만 쉬고 올라야지. 너 정말 대단하구나." 하시고는 다시 정상을 향해 걸음을 옮기셨다. 그때의 블로그 기록을 찾아보니 '아이가 했던 말들이 너무 예뻤구나. 좀 더 많은 것들을 기록해 둘걸.' 아쉬움이 짙게 남는다.

나무에 열린 푸른 열매를 보고는

" 이건 새들이 먹는 블루베리인가 봐요. 새들은 마트를 갈 수 없으니까 여기서 먹고, 어른들은 여기까지 오기 힘드니까 마트로

가나 봐요."

구상나무군락지에서는

"나무들이 너무 추워서 다 죽었나 봐요. 너무 추우면 옷을 입어야 하는데 아무도 옷을 입혀 주지 않아서 나무들이 죽었어요."

"그럼, 옷을 만들어 가지고 와서 입혀 주면 되겠네. 만들어 가지고 와서 입혀 줄까?"

"하하하. 내가 어떻게 만들어요? 안 되겠다. 어쩔 수 없네요."

내려오던 길에 우리 다음에 다시 오자 하니

" 너무 큰 산에 왔잖아요. 다리가 너무 무겁고, 터질 거 같아요. 나는 아직 작아서 작은 산으로 가야 해요."

5살 가을 처음으로 오른 윗세오름을 시작으로 엄마 따라 4계절을 다 올라서 본 듯하다. 바람이 유난히 많았던 겨울 한라산을 마지막으로 작년부터 쉬고 있는 한라산 등반.

신화월드 놀이공원에 가준다는 꼬임에 넘어가 엄마와 올랐지만, 그 날따라 선작지왓에 도착하니 눈보라가 너무 매서워 아이의 눈에 눈물이 핑 돌았다.

대피소에서 몸을 녹여 주었던 컵라면 하나에 세상이 다시 행복의 나라로 돌아왔다고 웃어 주었는데 그 후로는 엄마가 게을러져서 중단되었다.

등산은 왜 할까? 장기하 님의 노래 제목이기도 한. 내려와야 할 길 왜 그토록 힘들게 올라가는지? 산을 오르면서 매번 생각해 보는 문제인 듯하다. 나는 왜 산을 오르나?

우선 저 꼭대기. 눈에 보이는 확실한 목표.

오르고 오르면 결국은 끝에 도달한다는 명확한 목표가 있어서 좋다. 느리더라도 가다 보면 꼭 정상에 도달할 수 있다는 명확한 목표. 많은 일들은 목표가 명확하지 않아 포기하는 경우가 많지만, 등산만큼은 저 끝에 정상이 있다는 사실을 의심하지 않아도 되어서 좋다. 느리더라도 나만의 속도로 묵묵히 가다 보면 목표지점에 도달해 있다. 포기만 하지 않는다면.

그 과정에서 이런저런 포기 해야 하는 핑곗거리를 찾지 않고 한 걸음 한 걸음 목표를 향해 걷고 있는 내가 좋다. 그리고 근육이 빠지는 나이에 1그램의 근육이라도 생겼겠다고 생각하면 근육통도 기쁘게 받아들일 수 있다. 이제는 더 파격적인 조건을 걸어야 동행해 주겠지만 협상을 잘한 후 철쭉이 피는 계절 딸과 함께 한라산을 다시 찾고 싶다.

봄꽃 시즌 나의 과소비

봄꽃 시즌 나의 과소비

이번에도 역시나 언제나처럼 봄이 왔다.

하지만 내 마음 말랑해지는 봄바람이 불어도 '매번 끝내는 이별하고 마는 봄꽃 따위는. 이젠 짝사랑은 그만할래. 눈길조차 주지 않을 테야.' 했건만 '꽃 사러 같이 가자!'하는 언니의 한마디에 맥없이 바로 꼬리 살랑거리며 화원으로 갔다.

여기저기 나 진짜 이쁘잖아. 이렇게 이쁜데도 날 안 데려갈 거야? 모른 척할 수 있어? 속닥거리는 봄꽃들.

'내가 졌다. 졌어. 그렇지만 넌 작년에 날 떠났지? 넌 재작년에 날 떠났고. 날 배신하지 않고 끝까지, 아니면 오랫동안, 그것도 욕심이라면 한해만이라도 나와 함께해 줄 꽃은 누구냐?'

신중히, 찬찬히 살펴 가며 데리고 온 아이들.

매년 수천 개의 씨를 뿌렸건만 왜 싹은 하나도 보이지 않는지?

연약한 씨앗부터 키운다는 건 나의 과한 욕심이었어. 모종부터 키워 보자, 방법을 바꾸어도 언제나 날 떠난 초록이 들.

마음이 꺾이고, 다쳐서 이젠 그만하고 포기하게 되었다. 그래서 올해는... 이제는... 초록이는 안녕~~~

봄이 오기도 전에 마음의 문을 닫았지만, 봄바람은 언제나처럼 따뜻하고, 언제나처럼 설레어서 굳은 내 마음의 틈을 비집고 들어와 한 바구니 꽃모종을 나에게 안겨 놓았다.

올해도 언제나처럼 봄꽃 충동구매.

내년에는 새로운 초록이들 말고 올해의 미스김 라일락과 서양 매화, 핫립세이지 등등. 제발 날 떠나지 말아줘~~~

적당히 사랑해 줄게.

너무 과하지 않게, 너무 덜하지 않게.

알맞은 습도와 알맞은 온도와 알맞은 사랑으로 그렇게 사랑해 줄게.

봄꽃 시즌 엄마의 과소비는 여느 해와 마찬가지로 멈추지 못했다.

못난이 인형

못난이 인형

말랑말랑 젖살이 오른 아기 때 내 사진을 보면서 나는 진심으로 이런 생각을 했었다. '엄마는 무슨 재미로 날 키웠을까? 저렇게 못생긴 아기도 내 새끼라고 사랑스러웠을까?' 피부는 까맣고, 머리카락은 고슴도치처럼 하늘을 향해 뻗어 있고, 입꼬리는 심술궂게 내려가고, 눈도 단춧구멍처럼 작은, 포동포동 터질 듯한 사진 속 아기.

80년대 텔레비전 위에 당당하게 자리 잡고 앉아 있던 못난이 인형들 사이에 끼워 넣어 놓으면 이질감이 하나도 없을 똑 닮은 모습의 아이가 바로 나였다. 오죽했으면 딸아이 돌사진을 도령 한복을 입혀서 찍었을까?

진심으로 엄마는 내가 너무 못생겨서 딸 키우는 재미도 없었겠다 싶었다.

그런데 시간이 흘러 흘러 어머나 나에게도 그런 딸이 태어났다.

"엄마는 왜 안 좋은 것만 나한테 줬어? 쌍꺼풀도 없고, 얼굴도 너무 동그랗고. 엄마는 맨날 나한테 호빵이라 그러고"

"그러게. 내가 준 게 아니고 네가 엄마 뱃속에서 잠만 잤나 보네. 이쁜 걸 잘 찾았어야지."

"내가 그렇게 못생겼어?"

"네가 어릴 때 사진 다시 한번 찾아봐. 나한테 묻지 말고. 딸 용 됐다 용 됐어. 엄청나게 발전했으니, 앞으로 또 엄청나게 발전할 희망이 있잖아. 희망을 품어."

"엄마, 딸한테 말이 너무 심한 거 아니야?"

"괜찮아. 괜찮아. 속상할 일 아니야. 하느님 위에 의느님! 끝까지 맘에 안들면 의느님 찾아가면 되지. 별일 아니야."

우리의 대화는 반 농담으로 그렇게 끝이 나지만 나는 딸아이를 키우면서 내가 가졌던 의문이 완벽하게 사라졌다.

80년대 못난이 인형이 초대박 히트를 쳤던 이유를 알게 되었다. 미쉐린 타이어 캐릭터 같았던 터질듯한 젖살도 빠지고, 호빵 같았던 얼굴도 이젠 좀 갸름해진 딸을 보고 있노라면 뽀글뽀글 폭탄 머리로 해가 없게 웃던 나의 까말던 아기가 너무나 그립다.

이런들 어떠하리. 저런들 어떠하리.

네가 나에게 온 순간부터 내 눈엔 콩깍지.

이래도 저래도 그 자체로 사랑스러운 것을.

지진으로 알게 된 오빠의 마음

지진으로 알게 된 오빠의 마음

덤프트럭 3대 정도가 건물 바로 옆으로 지나가는 듯한 건물의 흔들거림을 느꼈다. '어디서 공사를 하나? 창문이 왜 이렇게 흔들리는 거야?' 의아한 순간 문자 알람이 울렸다. 지진재난 문자! 집에 있는 아이들에게 바로 연락했다. 전화를 받은 둘째 아이는 라면 끓이다가 갑자기 집이 흔들려서 가스렌인지 불을 끄고, 가스 밸브 잠그고, 식탁 밑에서 대기 중이라고 했다. '와~ 우리나라 공교육의 힘. 학교에서 안전교육은 확실히 받았구나.' 새삼 기특하고 귀여웠다. 평소에 우리 집 강아지 산이는 안고, 뽀뽀하고, 꿀 떨어지게 다정하면서 6살 아래 동생에겐 한없이 무뚝뚝한 오빠. 말도 잘 안 걸지만 어쩌다 동생에게 한마디 하면 면박 주는 소리만 하는 데면데면한 오빠. "동생보다 산이 먼저 챙겨 도망치겠지? 혹시나 여진 나면 동생도 챙겨라." 했더니 옆에서 가만히 듣고 있던 막내가 말했다. "엄마, 아니야~~~. 지진 나니까 오빠가 내 뒷덜미를 확 잡더니 날 식탁 밑에 밀어 넣었어. 그리고 산이 목줄도 채우고 데리고 왔어. 오빠가 산이 보다 나 먼저 구해 주던데." 산 이에겐 미안하지만 그 말을 듣는 순간 얼마나 감동적이었는지. '너 알고 보니 *츤데레구나. *무심한 척 챙겨줌 오빠는 오빠였어. 위급한 순간은 외면하지 않고 동생을 챙겨주긴 하는구나.' 너무나 당연한 행동이지만 아이들을 통해 들은 그 순간의 장면은 나에게 감동이었다. '역시 피는 물보다 진하구나.' 평소에는 길에서 만나도 모른 척 지나가는 무뚝뚝한 오빠지만 막냇동생이 도움이 필요한 순간 '짠' 하고 나타나는 영웅가 되어 줄 거라는 막연한 믿음. 평소에도 다정한 오빠라면 더할 나위 없이 좋겠지만 사춘기 아들에게 그건 엄마의 욕심이니까. 그래도 조금만 더 다정해지면 안 될까?

미련이 남는 엄마의 마음!

지진으로 알게 된 오빠의 마음!

사랑의 정도

사랑의 정도

13살 사춘기에 접어든 딸과 시내 배스킨라빈스에서 먹고 싶다던 아이스크림을 사서 집으로 오던 길이었다.

"엄마, 배가 아파. 방귀가 나오려고 그래. 엄마는 내가 지금 차에서 방귀 뀌어도 날 사랑해 줄 수 있어?."

"똥 싼 것도 아닌데 내 사랑이 그 정도도 극복 못 할까 봐? 딸내미의 방귀 냄새는 내가 극복해 줄게. 방귀 뀌어도 사랑할 수 있어."

"그래, 그럼 내가 차에서 똥 싸도 사랑해 줄 거야? "

"음, 일이 좀 많아지겠는데. 네 팬티 네가 빨고, 목욕하고, 차 청소까지 깔끔하게 끝내면 똥 싸도 사랑해 줄게."

"치~~~, 엄마들은 자식들 똥도 사랑스럽다는데 엄마 사랑은 그 정도밖에 안 돼?

"야~~, 그건 아기들 황금 똥이나 그런 거지. 13살 딸내미 똥 사랑스러운 엄마가 어디 있겠니? 넌 내 똥 사랑해 줄 수 있어?"

"엉! 나는 엄마 똥 사랑해 줄 수 있어."

"그래? 그럼, 올해 네 생일선물은 엄마 똥 이쁘게 포장해 줄게."

티격태격 깔깔거리며 똥 이야기로 냄새 가득 안고 집으로 돌아왔다. 아이의 말처럼 한때는 노란 황금 똥만 봐도 어쩜 이렇게 똥도 잘 싸나 대견스러운 날들이 분명히 있었다. 잘 자고, 잘 먹고, 잘 싸고 그래서 똥조차도 기특하고 대견하고 사랑스럽던 시절이, 그렇게 냄새나는 똥마저도 사랑스러운 눈으로 보던 시절이 있었다.

부쩍 말하다가 서로 말이 안 통해서 화가 나고 그래서 한 시간 동안 대화 금지의 시간이 늘어나고 있다. 생각이 커지는 과정에서 일어나는 일들인데 순하던 아이는 어딘가로 사라지고, 설득이 안 되는 아이를 만나면 부글부글 나의 감정을 통제하기가 어려워진다.

"딸, 내가 싼 똥은 내가 치운다는 자세로 살아. 더럽다고, 냄새나서 힘들다고 고개 돌리지 말고 뒤처리까지 깔끔하게. 그럼, 어디서든 사랑받는 사람이 될 수 있단다. 나는 내가 싼 똥 너! 열심히 키워볼게."

조금만 더 잘했으면 하는 욕심이 고개를 들 때마다 똥마저도 기특하던 그때의 너를 자주 불러야겠어.

"아기 때의 황금 똥만큼 널 사랑해."

명품 앓이

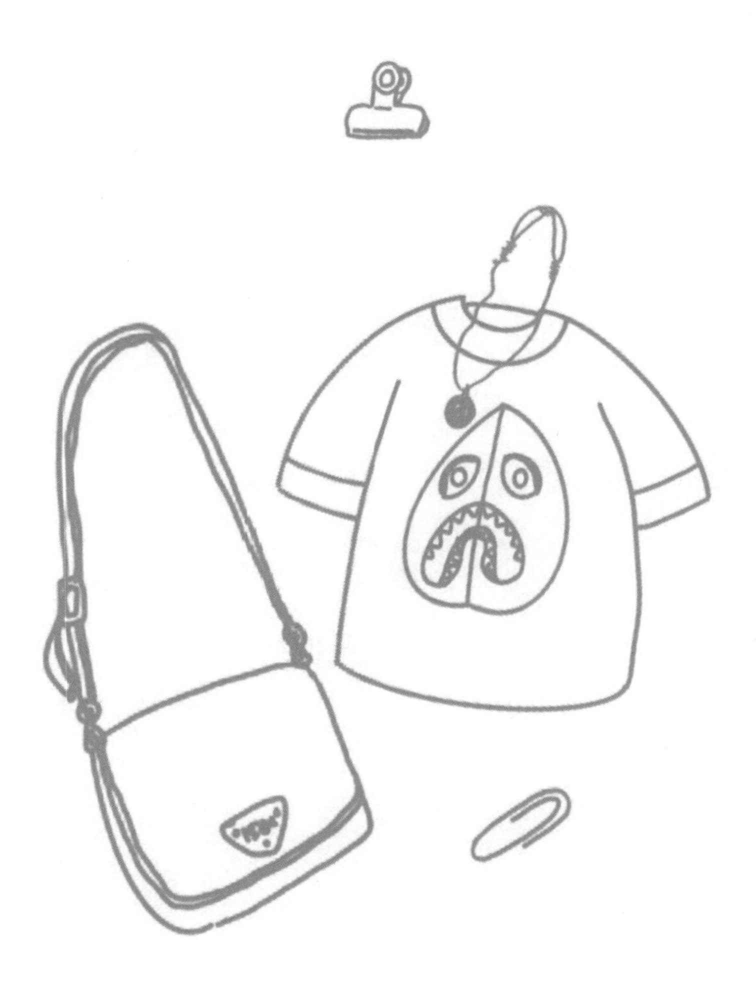

명품 앓이

드디어 딸의 입에서 나왔다.

브랜드명.

" 어마마마, 나 아디다스 바람막이 하나만 사주세요."

큰 아이 초등학교 5학년 끝날 때쯤 어디서 봤는지 뜬금없이

" 엄마, 번개 장터에 내가 갖고 싶은 점퍼가 있는데 그거 사주시면 안 될까요?"

" 새 옷 사면 되지? 무슨 번개 장터야. 번거롭게."

" 새 옷은 너무 비싸서 그래요. 번개 장터에 엄~~~ 청 싸게 나왔어요. 사주세요."

" 뭔데 그러냐?

이게......너 제 정신이니?

야~ 넌 면바지에 후드티 입고 다니는 엄마가 삼천만 원짜리 에르메스 가방 가지고 다니면 사람들이 알아봐 줄 거 같니?"

번개 장터에 올려진 점퍼는 36만 원짜리 일본 의류 브랜드 베이프 점퍼였다.

엄마와 에르메스 가방을 가만히 연상하니 5학년 남자아이는 자기가 생각해도 연결이 안 되는지 의외로 순순히 수긍했다. "엄마가 설명하니 현실적인 거 같아요. 알겠어요." 그런데 아이는 그 후 1년 동안 잊힐 만하면 베이프를 꺼냈다.

"엄마, 엄마 말은 충분히 이해되는데 자꾸만 내 눈에 베이프가 보여요. 텔레비전을 봐도 베이프 옷을 입은 사람이 나오고, 잡지를 봐도 베이프가 보여요. 생일선물로 사주면 안 될까요?"

아이는 그렇게 1년을 차분하고, 지속적으로 특별한 날마다 나를 공략해서 반은 자기 용돈을 보태고 반은 엄마의 지원으로 베이프 점퍼를 초등학교 졸업선물로 쟁취했다. 군대를 간 녀석은 군대 가기 전날 밤 자기가 아끼는 베이프 점퍼 2개와 몇 가지 옷들을 이것만은 동생이 못 입게 지켜 달라고 상자에 포장한 후 나에게 맡겼다. 그런 첫째에게 적응했으니 둘째 때는 좀 쉬워질 줄 알았다. 내가 아들을 이해하는 방식이 한결 관대해졌으리라. '중고명품이라도 자기 용돈으로 산다면 한두

개는 허락해 줄 수 있지. 형도 샀는데 동생만 못 하게 하면 그건 불평등이지.'

하지만 시험문제가 그렇듯 문제는 언제나 변형되어 더 고난도로 출제된다.

둘째가 원하는 품목은 프라다 클립, 이름도 처음 들어보는 피스마이너스원 집게. 내가 만들어도 저것보단 잘 만들겠다 싶은 내 눈엔 5천 원짜리 같은 50만 원대의 가죽끈 목걸이.

"엄마가 하느님, 부처님이 되어도 난 도저히 이해를 못 해. 문구점 가면 몇십 원이면 살 수 있는 클립이잖아. 난 이것도 아깝지만 그럼 짝퉁을 사자. 그건 허락해 줄게."

"그게 진품이니까 사고 싶은 거지 가품이면 그걸 왜 사? 지디도 하고, 지코도 하는데 엄마가 몰라서 그래."

정말 영원히 모르고 싶었다.

끝끝내 나는 클립과 집게를 받아들일 수 없어서 듣지도 보지도 못한 새 옷 기준 백만 원대의 검정 점퍼를 번개 장터에서 대신 사주었다. 물론 반반을 조건으로.

둘째는 그 중고 옷을 사고팔고 사고팔면서 자기가 원하는 브랜드의 옷 들을 때에 따라 바꿔 입었다. 그것도 한때인지 대학생이 된 첫째도, 고3이 된 둘째도 이제는 그냥 평범하게 무신사도 사랑해 주신다. '이제 한고비 넘었구나!' 했는데 막내 딸아이가 아디다스를 찾는다. 모른 척 무시하니 자기팔 보다 20센티미터는 긴 듯한 허벅지까지 내려오는 오빠 아디다스 검정 점퍼를 학교에 입고 다닌다.

"딸! 엄마 무서워. 넌 살살 좀 지나가자.

나이키, 아디다스까지는 엄마도 좋아.

돈 없어서 안 된다는, 우리 형편에 맞지 않다는 부정적인 말보다 통크게 "이번 한 번만이야." 하고 새 옷으로 쓱 내밀 수 있는 능력 있는 엄마였음 좋겠지만 현실은 그렇지 못하니 앞으로 네가 찾을 번개 장터도 기쁜 마음으로 결제해 줄 배포를 키울게. 그리고 조금 더 기다리면 너희가 에르메스 가방을 나에게 안겨 줄 날이 있으려나?

몇 년 전 엄마 생일날 오빠들이 보증서가 든 프라다 명품 가방을 선물했지. 아빠에게도 받아 보지 못한 명품 가방을 말이지.

당근! 당근에서 샀다더라고.

그래도 엄마는 주책없이 중고 프라다 명품 가방이 아주아주 행복했단다. 나름 거금의 용돈을, 엄마를 위해 썼다는 사실이, 버스를 타고 프라다를 사러 옆 동네를 헤매고 다녔을 고등학생 오빠의 마음이 얼마나 귀엽고 사랑스럽니?

아끼지 말고 들고 다녀야 하는데 들 때가 없네.

우리 몇 년 후엔 중고 말고 백화점 가서 새것으로 명품 하나씩 살 수 있게 오늘을 열심히 살아보자꾸나."

JeJu 살이

제주살이

대부분의 사람이 다니고 싶다는 회사.

나라면 절대 놓지 않을 것 같은 회사를 남편은 "딱 10년만 다니고 그만둘 거야. 딱 10년만 다니면 독립할 거야."

그렇게 나에게 몇 년을 귀에 딱지가 앉게 말하더니 정말 딱 10년을 채우고 사표를 내고 나와 버렸다. '어차피 프리랜서로 독립해야 할 상황이라면 한 살이라도 젊을 때 나와서 부딪혀 봐야지. 프리랜서라면 굳이 도시에 살 필요는 없잖아. 어디로 가 볼까?' 그렇게 우리는 따뜻한 여행지 제주로 날아왔다. 그리고 제주에서 어쩌다 보니 벌써 12년을 넘게 사는 중이다. 회사 밖은 지옥이라더니 역시나 회사 밖 밥벌이는 쉽지 않았고 물질적인 여유는 멀어져 갔다.

가끔은 그냥 그대로 살았더라면, 그대로 버텼더라면 하는 미련이 마음을 어지럽힌다. 적게 벌고 적게 소비하고 살자는 이상과 달리 적게 벌고 많이 소비되는 슬픈 현실 때문에 마음이 갈피를 잡지 못한다. 어느 날 남편이 편의점에 갔더니 사장님이 횟집 주방장인 줄 알았다고 하더라며 해맑게 웃었다. 올 때마다 생선 비린내가 나서 그랬다고. 정말 지겹도록, 저 사람이 디자이너인지 어부인지 해남인지 모르게 바다에서 시간을 보냈다. 덕분에 아이들도 바다를 누비며 소라도 잡고, 문어도 잡고, 물고기도 잡고, 오름을 올라 고사리도 꺾고, 도마뱀도 잡고, 말도 타고 제주의 시골 아이들이 되었다. 이제 첫째는 육지의 학교로 대학을 가고, 둘째도 육지로 진학을 고민하면서 다시 아쉬움이 고개를 들었다. '그냥 그대로 육지에서 살 걸 그랬나? 우리 다시 육지로 이사 갈까?' 쉽지 않은 일임을 알지만 아이들의 마음을 알고 싶어 슬쩍 물어보니 왜 이제 와서 이사를 하냐고. 그냥 계속 도시에 살았으면 좋은데 이젠 친구들도 제주에 있고 그냥 집은 제주에 있고 자기들이 왔다 갔다 하는 게 좋다고 했다. 항상 번쩍번쩍 화려한 도시로 이사 가자고 하던 아이였는데 도시 생활 1년 만에 제주의 평화스러움을 몸소 깨달은 듯하다.

물가 비싸고, 비행기로 이동하기 불편하고, 이것저것 아쉬움이 많지만, 포기한 것이 있으니 얻은 부분도 분명히 있다.

제주는 나에게 좋기도 하고, 싫기도 한.

떠나고도 싶고, 머무르고도 싶은 그런 아리송한 곳이다. 나는 이곳에서 몇 년을 더 머물게 될까? 적게 벌고 적게 소비하는 삶이 이루어지면 이곳에 뿌리내릴 수 있을까?

감사합니다

감사합니다

핸드폰을 통해 전해 온 첫마디.

군대 간 아들이 어버이날은 지났지만 늦게라도 감사하다고 전화했다.

낳아 주셔서 감사합니다!

부모가 되고 아이들에 대한 책임감의 무게가 무거워지면서 때론 태어나서 살아내는 것이 피곤하고 어려운 과제처럼 느껴지기도 한 시간이 생겼다. 태어나지 않았더라면 이렇게 피곤하게 살아내지 않아도 되었을 텐데. 그런 생각도 하게 되는 나이의 나는 이제 막 성인이 된 아들이 낳아 주셔서 감사하다는 인사가 새삼스럽게 고마웠다. 이렇게 치열한 사회에, 금수저도 아닌 환경에 군대에서 적응하는 중에 낳아줘서 감사하다니. 이런 환경에 왜 낳았냐고 원망하지 않고 감사하다는 무심한 한마디가 무언가 안심이 되고 자기 삶도 감사하게 생각하며 지내는 것 같아 마음이 따뜻해졌다. '낳아줘서 감사하다고 해줘서 고마워. 그 마음 변하지 않도록 행복한 시간을 만들어 가면서 살면 좋겠네.'

올해 어버이날은 용돈도, 선물도 없이 본인은 별 뜻 없이 무심하게 전한 한마디뿐이었지만 그 무심한 한마디가 나름대로 잘 지내고 자기 삶에서 행복을 찾아가면서 잘 살아가고 있다는 의미로 전해져 마음이 따뜻한 날이었다.

나도 태어나줘서 감사해!

그건 사랑하는 마음 때문이야

그건 사랑하는 마음 때문이야

노랑이가 울었다.

나도 울 것 같았다.

근데 노랑이가 안 우니까 나도 안 울게 되었다.

노랑이가 고마웠다.

왜 사람이 울면 다른 사람이 울려고 하는 걸까?

나도 울었던 적이 있지만 그건 누구나 겪는 일이에요. 알지요?

- 그건 파랑이가 노랑이를 사랑하는 마음 때문인 거 같아요.

둘째가 초등학교 1학년 때 삐뚤빼뚤 맞춤법도 다 틀리게 쓴 일기에 담임선생님의 답변이 너무 따뜻했다.

3살 아기 동생을 너무 사랑하던 오빠.

그 사랑이 너무 지나쳐 동생 좀 귀찮게 하지 말라고 많이 혼나기도 하던 오빠였다.

지금은 길에서 만나도 서로 모른 척하는 사이지만 한때는 그랬다.

군대 보낸 첫째 빨강이의 훈련소 수료식 날.

입장 행진곡이 울리며 양쪽에서 각 맞춰 걸어 나오던 해군 아저씨들.

어릴 때 국군 아저씨께로 시작하는 위문편지의 대상자였던 그들은 지금 나에게는 아직 솜털이 보송보송한 아이들이 되었다. 4월의 파란 하늘 아래 행진곡에 맞춰 정확하게 정렬해서 걸어 나오던 아이들을 보는 순간눈물이 핑 돌더니 멈출 수 없이 주르륵 흘러내렸다.

큰오빠들이 나오자 여기저기서 우는 엄마들을 보고 초등학생 막내가 물었다.

"도대체 왜 우는 거야? 그냥 걸어 나오는 게 엄마들은 슬퍼?"

아직 아이의 눈에는 오빠가 낯선 군대에서 보낸 5주의 훈련 시간이 주었을 긴장감과 고단함을 알 수 없었을 것이고 그래서 그냥 걸어 나오는 오빠들을 보고 울고 있는 엄마들을 이해할 수 없었을 것이다.

"노랑아~, 이건 엄마가 오빠를 사랑하는 마음이란다."

초등학교 6학년 운동회 때 계주 마지막 주자로 나가서 상대 팀 주자와 엎치락뒤치락 운동장을 달리던 빨강(첫째)이 응원했을 때도 울고, 잠시 잠깐 사이에 동대문 의류 상가에서 요구르트 아줌마 따라 사라진 5살 파랑이(둘째)를 5분 만에 찾았을 때도 울고, 작은 엉덩이 삐쭉 빼쭉 흔들며 춤을 추던 노랑(셋째)이 재롱잔치를 보면서도 울었다.

나도 울었던 적이 많지만 그건 누구나 겪는 일이라는 8살 둘째의 말처럼 가족 안에서 우리는 웃고, 울고 서로를 응원하며, 위로하며 일상을 살아간다.

네가 울면 나도 울고, 울음이 멈추면 나도 같이 울음이 멈춰지는 우리는 사랑하는 가족이니까.

더 잘 했으면 하는 욕심을 숨기고 사랑이라 말하며 날카롭게 상처를 내는 충고 대신 각자 목적지를 향해 걸어가는 걸음에 시원한 물 한 잔과 잠깐 쉴 공간을 건네줄 수 있는 여유로운 마음을 준비하고 살도록 애쓰자.

엄마가 엄마에게 하는 다짐.

너희는 알아서 잘하고 있으니 나만 잘하면 돼. 나나 잘 하자! 오늘도 다짐해 본다.

그건, 사랑 아이들과 지나온 일상 에피소드

발 행 | 2024년 07월 26일
저 자 | 스마일양
일러스트 | 스마일양
표지일러스트 | 스마일양
디자인 | 오은정
인권표현검수 | 이지민
바른우리말검수 | 이지민
후원 | 제주특별자치도, 제주문화예술재단
주관 | 서귀포 오아시스
미디어에디터 | 최인서
작품편집, 에이전트 | 박산솔, 이선경
펴낸이 | 한건희
펴낸곳 | 주식회사 부크크
출판사등록 | 2014.07.15.(제2014-16호)
주 소 | 서울 금천구 가산디지털1로 119, SK트윈타워 A동 305호
전 화 | 1670 - 8316
이메일 | info@bookk.co.kr

ISBN | 979-11-410-9750-9

www.bookk.co.kr

2024 엄마의 활주로 '함께육아에세이'의 취지에 맞게 작가의 감정 표현과
아이의 언어 표현을 지키는 방향으로 교정 교열 하였습니다.

본 책은 강원교육모두체, 학교안심(확장)바른돋움체, 리디주식회사에서 제공한 리디바탕글꼴이 사용되어 있습니다.

본 책은 제주특별자치도와 제주문화예술재단의 후원을 받아 제작되었습니다.

Jeju JFAC 제주문화예술재단